AlgaR
EDITORIAL

Títulos publicados

Existen unas *Propuestas didácticas* referidas a este libro que se pueden descargar de forma gratuita desde la página web <www.algareditorial.com>.

Título original: *Fantasmas no corredor*
© *Agustín Fernández Paz*, 2005
© Traducción: *Soledad Carreño Albín*, 2005
© Dibujos: *Óscar Villán*, 2005
© *Algar Editorial.*
    Apartado de correos 225
    46600 Alzira
    www.algareditorial.com
Diseño de la colección:
    Enric Solbes

Impresión: *Bormac*
1ª edición: *noviembre, 2005*
ISBN: *84-96514-61-7*
Depósito legal: *V-4398-2005*

PAPEL ECOLÓGICO
TCF LIBRE DE CLORO

FOTOCOPIAR LIBROS
NO ES LEGAL

Fantasmas en el pasillo

Agustín Fernández Paz

Dibujos de
Óscar Villán

1

En el pasillo de mi casa
hay fantasmas, pero no se parecen
en nada a los que salen en las películas
y en los cuentos. Yo los llamo
tundas, que no significa nada,
pero fue el primer nombre que
se me ocurrió cuando noté su
presencia por primera vez. Por el día   5
no se ven, pues se esconden tras
las paredes, en algún sitio que sólo
ellos conocen. Pero por la noche,
cuando está oscuro, salen
de sus escondrijos y ocupan todo
nuestro pasillo.

Los descubrí cuando nos mudamos
a esta casa. Antes vivíamos en un piso
de la plaza Mayor, pero mis padres
siempre andaban quejándose de que
se nos había quedado muy pequeño,
y más aún desde que nació
mi hermana Beba. Fue entonces
cuando decidieron alquilar esta casa
en la que vivimos ahora.

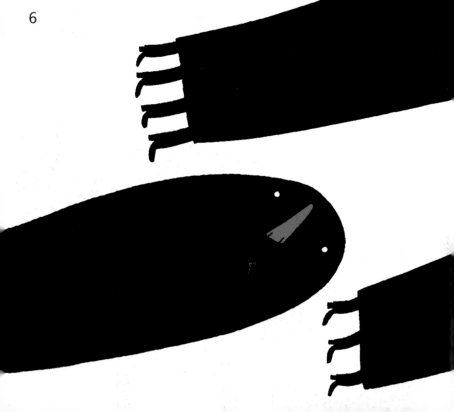

Es una vivienda grande y antigua,
con los techos muy altos y el piso
de madera. Aquí hay todo el espacio
que se quiera. Mamá dispone de
un sitio amplio para trabajar,
mi hermano Javier tiene un cuarto
para él solo y yo, otro para mí. Beba
también tiene el suyo, más pequeño,
pegado al dormitorio de mis padres. Y
hasta nos sobra una habitación entera,
que hace las veces de despensa y
de almacén de todo lo que ya
no utilizamos.

La casa tiene un pasillo largo,
muy largo. Y por las noches,
cuando todo queda en silencio,
se escuchan ruidos extraños en él. Mamá
dice que es la madera, que cruje de
vieja. Mi padre opina que deben de ser

las tuberías del agua. Y Javier
afirma que son las ratas,
que se ponen a correr por dentro
de las paredes. Pero nada de eso
es verdad. Yo sé que el ruido lo hacen
los fantasmas.

Empecé a notar su presencia
poco después de que llegáramos
a esta casa. Cuando mamá o papá
me mandaban a buscar alguna cosa
a la despensa, que está al final del
pasillo, yo notaba que cien ojos
invisibles me espiaban. Y por la noche,
cuando tenía que ir desde
mi dormitorio hasta el cuarto de baño,

que queda enfrente de la despensa,
andaba siempre con el corazón
en un puño, con la sensación
de que las *tundas* me vigilaban
desde el techo y que en cualquier
momento podrían abalanzarse
sobre mí.

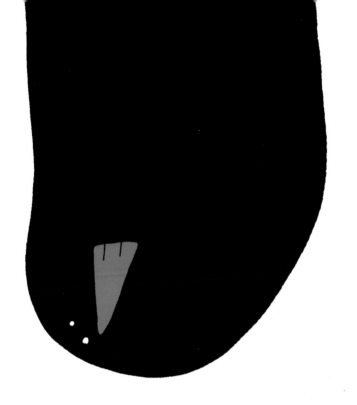

Lo malo es que nadie más se ha dado
cuenta todavía de que los fantasmas
están aquí. Papá no tiene ni tiempo,
pues se pasa todo el día fuera de casa,
y cuando vuelve, aún se pone a
trabajar con el montón de papeles que
lleva siempre en la cartera.

Mamá, como es ilustradora,
vive atareada entre lápices y pinturas;
y siempre anda obsesionada porque
tiene que entregar cuanto antes
los dibujos de algún libro que
le han encargado.

Javier vive en su mundo,
con la cabeza llena de pájaros, como
le dice papá. Cuando está en casa,
siempre se encierra en su cuarto
para estudiar, aunque yo he entrado
sin llamar algunas veces y siempre
lo he pillado tumbado en la cama,
escuchando música.

Y Beba todavía es muy pequeña
para darse cuenta de nada. Lo único
que hace, además de comer y dormir,
es gatear por todas las habitaciones
de la casa buscando algo
que romper.

Sólo yo sé que en nuestra casa
hay fantasmas. Ni mamá,
ni papá, ni Javier, ni Beba. Ellos
van y vienen como si ésta fuese
una casa normal. Pero en el pasillo
están las sombras y me da
mucho miedo pasar de noche
por allí. Y todavía me asusta más
que un día se cansen de andar
siempre por el mismo sitio
y decidan ocupar la casa entera.
Entonces tendríamos que cambiarnos,
nadie puede vivir entre fantasmas.
Y yo me pondría muy triste,
porque no quiero irme
de aquí.

2

Un sábado, como papá
estaba en casa sin hacer nada, le conté
mi descubrimiento y también el miedo
que pasaba cuando me levantaba de
noche para ir al baño. Él me escuchó
con atención y después me dijo:

–Vaya, vaya. ¡Así que tenemos fantasmas, y yo sin saberlo! Pues ya me has contagiado también a mí las ganas de ver cómo son esas *tundas*. ¿Por qué no vamos ahora al pasillo?

–Ahora no puede ser –contesté–. Por el día no están. Mejor dicho, están pero no se ven. Por el día son invisibles.

—Pero, aunque sean invisibles, notaremos su presencia. ¿No te parece, Marina?

—Es que por el día no están en el pasillo. Están... ¡están dentro de las paredes! ¿Tú no sabes que los fantasmas pueden atravesar las paredes? Pues estas *tundas,* igual. Sólo que ellas viven allí dentro, esperando que anochezca. Salen cuando todo está oscuro, y se pasan la noche entera bailando en el pasillo.

–¡Y yo que ando tantas veces a oscuras
por la casa! ¿Cómo no las habré
visto nunca?
–Es que son negras. En la oscuridad
no se ven porque son negras. ¡Les
encanta la oscuridad!

–¿Y si sales despacito del cuarto y enciendes la luz de repente? Preguntó mi padre.

–¡Ya lo hice alguna noche! ¡Pero son muy rápidas y se van enseguida! –contesté–. Mejor dicho, parece que se van porque se meten en las paredes. Después, cuando paso por allí, noto perfectamente que

están al acecho, esperando que vuelvan
las tinieblas.

Mi padre me acarició el pelo y siguió
leyendo el periódico. Estaba visto que
no se creía nada de lo que le había
contado. Y yo, intranquila después de
la conversación, no pude evitar que
un escalofrío me recorriera de la cabeza
a los pies.

El lunes siguiente, al volver de la escuela,
encontré a mi madre arrodillada
en el suelo, extendiendo ante ella
las ilustraciones del libro en el que estaba
trabajando. Eran tan bonitas que daban
ganas de quedarse embobada mirándolas
todo el rato.

Como mamá estaba tan contenta,
me animé a contarle mis miedos con

los fantasmas. Cuando acabé de
explicárselo todo, me preguntó:

—¿Y cómo son esas *tundas,* Marina?
¿O no las has visto nunca?

–Sé cómo son, pero sólo las he visto
durante unos instantes, no sabes
lo rápido que se mueven. No llevan
una sábana blanca, como los fantasmas
de los castillos, ni tampoco son peludas
y horribles como los monstruos. Mira,
son parecidas a eso que tienes
ahí –le dije, señalando el muñeco
articulado que mi madre utiliza para
poder dibujar las figuras humanas
en cualquier posición–. Sólo que
las *tundas* son completamente
negras.

27

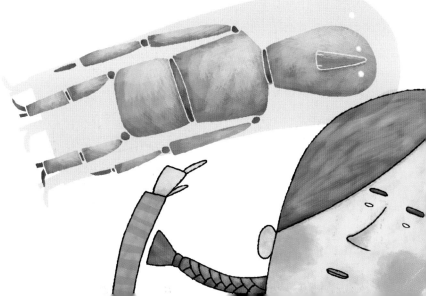

—Si son inofensivas, ¿por qué les tienes miedo? ¿O te hacen algo cuando vas tú sola por el pasillo?

—Hasta ahora no me han hecho nada, pero les gusta jugar conmigo y meterme miedo. Caminan detrás de mí, siento su aliento en la nuca, me rozan con las manos... ¡Asustarme, eso es lo que realmente les gusta!

—¡Ay, cuánta imaginación tiene esta hija mía! —concluyó mamá, abrazándome con fuerza.

Yo también la abracé con ganas, no hay nada que me guste más. Pero comprendí que tampoco mi madre se creía nada de lo que le había contado.

Lo malo no fue que mis padres no me hiciesen caso. Lo malo fue que, encima, se les ocurrió comentarlo a la hora de la cena, así que además tuve que aguantar las burlas de Javier y las simplezas que balbuceaba la tonta de Beba.

Nadie me creía, así que tenía que aguantarme. Durante el día no me preocupaba, lo malo era por las noches.

Me entraban las ganas de ir al cuarto de baño y tenía que estar en la cama, resistiendo y resistiendo, hasta que ya no podía más. Entonces me armaba de valor y echaba a correr pasillo adelante, hasta llegar al aseo. Y luego,

para volver, otra carrera hasta
la cama-refugio. Así noche tras noche,
muerta de miedo, soportando
los sustos de aquella pandilla de
fantasmas que había ocupado
nuestro pasillo.

3

Aquella situación no podía continuar
así por más tiempo. Si quería que mi
familia me creyera, tenía que aportar
alguna prueba de la existencia de
los fantasmas. Una tarde se me ocurrió
una idea luminosa: ¡una fotografía! ¡Si
conseguía una foto de alguna *tunda*,

no tendrían más remedio
que creerme!

Pero, ¿cómo fotografiar a aquellos fantasmas? Tenía que pillarlos por sorpresa, antes de que se ocultasen en las paredes, y no sabía cómo podría hacerlo.

Un día, con mis piezas de construcción, tuve una idea estupenda para hacer la fotografía. Abandoné el juego y bajé a pedirle cajas vacías a la señora Laura, que atiende la zapatería que hay en el bajo de nuestra casa. Me dio tantas, que tuve que hacer varios viajes. Por suerte, nadie me vio entrar con ellas y pude esconderlas debajo de mi cama.

Por la noche, cuando todo el mundo
se acostó, cogí las cajas y las apilé
en el pasillo, formando torres tan altas
que amenazaban con caerse al más
mínimo soplido. Y encima de ellas
puse las piezas de madera de mi juego
de arquitectura.

¡Era una trampa excelente! ¡Cuando
las sombras salieran a bailar,

como cada noche, tropezarían
con aquella construcción y montarían
un ruido de mil demonios! Entonces
aparecería yo con la cámara que me
regalaron el día de mi cumpleaños,
que es automática y tiene flash
incorporado, y haría la foto reveladora,

la foto en la que algún fantasma
aparecería caído entre las cajas y
las piezas de mi juego de arquitectura.

El plan estaba bien pensado,
pero todo salió mal. Lo estropeó
mi padre, que no se dormía y
tuvo la ocurrencia de ir a buscar,
a la una de la madrugada,
unas revistas que tenía
en el cuarto trastero. ¡Menos mal
que cayó encima de las cajas y
sólo se hizo daño en un brazo!

Y yo todavía tuve suerte,
porque se rió mucho con la foto
que le hice, y así conseguí librarme
de un castigo que parecía
inevitable.

Como seguía pensando que la idea de la foto era magnífica, enseguida preparé otro plan que me pareció más eficaz. Mi madre tiene un despertador que, cuando suena, hace un ruido infernal, como ella dice. Por eso sólo lo utiliza de vez en cuando, algún día que tiene que levantarse muy temprano. No me costó nada dar con él dentro de su armario y llevarlo a mi dormitorio.

Lo puse para que sonara a las tres de la madrugada y lo coloqué disimulado en un rincón del pasillo. A esa hora, las *tundas* estarían confiadas, bailando y divirtiéndose como cada

noche. El ruido infernal del timbre
conseguiría sorprenderlas,
seguro. Pero no a mí, que ya estaría
preparada. Así podría disparar
la cámara antes de que les diese tiempo
a ocultarse en las paredes.

¡Era un plan perfecto y no podía fallar!
Pero estos fantasmas son más listos
de lo que parece porque, cuando sonó
el despertador y me levanté de la cama
disparada, con la máquina de fotos en
la mano, descubrí que el pasillo estaba
vacío. Vacío de fantasmas, para ser
exacta, pero ocupado enseguida por
mamá, papá y Javier. Y también

por Beba, que no dejó de llorar hasta
la mañana siguiente.
Además de castigarme sin poder salir
a jugar, mis padres estuvieron
enfadados conmigo durante más de
una semana. Y también Javier,
que se ponía el dedo en la sien y

lo giraba hacia los lados cada vez que
me veía, como si yo estuviese loca. Y
hasta Beba colaboró, porque aprendió
una nueva gracia que tuvo mucho
éxito: hacer «¡Riiing!, ¡Riiing!» y poner
cara de susto mientras me señalaba
con el dedo.

4

Abandoné la idea de la foto y decidí
buscar otra alternativa que
me permitiese conseguir una prueba
definitiva de la existencia de
las *tundas.*
Una tarde me puse a mirar los álbumes
de fotos que tenemos en el comedor.
Y así fue como di con las de
las últimas vacaciones de Navidad,
cuando estuvimos en casa de
los abuelos y cayó aquel nevazo
tan grande. Durante algunos días toda
la huerta se cubrió con una maravillosa
alfombra blanca.Daba gusto sentir

cómo las botas se me hundían en
la nieve al caminar y dejaban bien
marcados mis pasos.

Y entonces se me ocurrió
una idea estupenda, parece
mentira que no hubiera pensado
antes en ella. ¿No pasaban
las sombras toda la noche
bailando en el pasillo? Pues si
echaba harina por todo el suelo,
dejándolo bien cubierto con
una capa blanca como la de nieve,
cuando nos levantáramos
por la mañana estaría
revuelta y toda llena
de pisadas. ¡Ante una prueba así,
mis padres no tendrían
más remedio que
creerme!

Pero también este plan me salió mal,
está claro que los fantasmas son
más listos de lo que yo pienso. Porque,
por la mañana, las únicas pisadas que
había en el suelo eran las de
mis padres, que se preguntaban
asombrados de dónde había salido
aquella extraña nevada, mientras
Beba se rebozaba a sus anchas en

la harina.

No les gustó nada la explicación
que les di y, además, me castigaron
durante quince días. ¡Dos semanas
sin postre y sin poder
bajar al parque con
la bicicleta!

5

Una de aquellas tardes en que estaba
castigada, mi madre volvió de la calle
con un paquete grande y alargado,
envuelto en papel de colores. Yo estaba
en mi habitación, pintando un bosque
con muchos animales. Mamá se quitó
la chaqueta y se me acercó,
con una sonrisa misteriosa en
la cara.

—Mira, Marina, yo sé que tú tienes razón,
sé que el pasillo está lleno de esos
fantasmas antipáticos —me dijo,
sentándose a mi lado—. ¡Qué le vamos
a hacer! Seguramente llevan aquí

mucho tiempo, porque esta casa es
muy antigua, y no hay forma de
conseguir que se marchen. Puede
que estén molestos porque nosotros
ocupamos ahora la casa, no lo sé. Pero
no tienes por qué pagarlo tú,
soportando cada noche sus bromas.
Así que yo también he pensado cómo
acabar con ellos.

–¿Ah, sí? ¿Y qué has pensado? –pregunté.
–Pues algo que tiene que ver con esto
que acabo de comprar. En cuanto te
lo enseñe, te explicaré cuál
es mi plan.

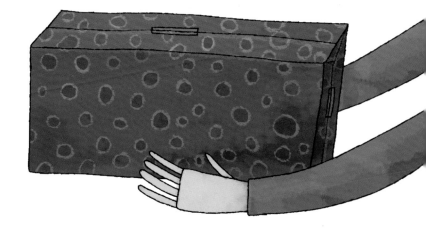

Mamá abrió el paquete. Dentro había un rollo de cable eléctrico, varias lámparas pequeñas, algunos portalámparas y otras piezas de las que se utilizan en las instalaciones eléctricas. Supongo que notó mi cara de desilusión, porque inmediatamente se puso a contarme, muy animada, lo que íbamos a hacer con aquellas cosas.

—¿No es cierto que las tundas no pueden soportar la luz? Pues mira: con todas esas lámparas colocadas en lugares estratégicos, el pasillo quedará iluminado como en una verbena. ¡Me parece que se les ha acabado el baile a esos fantasmas entrometidos!

—¿Y cómo lo harás, mamá?
¿No es complicado colocar tanta
lámpara?
—¡Bah, bobadas! ¡Si sólo es un montaje
de lo más sencillo! ¿Y sabes dónde
estará la llave para encender y apagar
las luces? ¡Adivina!
No sé si he dicho ya que mi madre,
además de ilustrar libros,
es una artista en esto de trabajar
con cables y enchufes.
¡Si ella me ayudaba, la batalla
estaba ganada!
Mamá se levantó y fue por la caja
de herramientas. Cogió martillo,
alicates, destornillador, cinta aislante

y todo lo demás que acababa de comprar. Y, con la ayuda de una escalera plegable, se puso manos a la obra.

Yo miraba con atención lo que hacía, y le echaba una mano siempre que me lo pedía. En total, fueron diez las lámparas que mi madre colocó a lo largo del pasillo. A continuación llevó el cable hasta mi cuarto y allí, después de desmontar el interruptor viejo, conectó otro nuevo que tenía dos llaves.

Cuando acabó, pudimos probar
la instalación por primera vez. ¡Madre
mía, qué fiesta! Desde mi cama, yo
podía accionar la llave sin dificultad.
Le daba y, al instante, el pasillo entero
se iluminaba como si fueran las fiestas
del barrio. ¡Ya se podían preparar
los fantasmas!

La idea de cubrir alguna lámpara con
celofán de colores fue mía. Así, todavía
quedaba mucho mejor. ¡Incluso parecía
que ya estábamos en Navidad!

6

Aquella idea sí que fue definitiva para
los fantasmas. Las primeras veces,
cuando tenía que levantarme por
las noches y le daba al interruptor,
yo notaba perfectamente que
huían a toda prisa para esconderse
en las paredes y que no se atrevían ni
a mirarme.
Algunos días después, empecé a notar
que las sombras ya ni tan siquiera
aparecían. Encendía las luces,
pasaba por el pasillo camino del
cuarto de baño, y no notaba su
presencia, como si estuvieran ocultas

en el lugar más escondido de
las paredes. Quizá se habían cansado
de tanta luz y habían dado la batalla
por perdida.

La confirmación definitiva de
su marcha la tuve la otra noche,
cuando me levanté para ir al baño y,
como tenía muchas ganas, me olvidé
de encender las luces. Fui y volví a
oscuras, medio dormida, sin darme
cuenta de nada. Cuando regresé a
mi habitación, me metí en la cama y,
mientras volvía a coger el sueño,

caí en la cuenta de que no había
encendido las luces. ¡Y no había
pasado nada!
Así que ahora voy y vengo por el pasillo,
tanto si es de día como si es de noche.
No hay ni rastro de *tundas*. Tal vez
se hayan ido de casa, quién sabe a

dónde. La única pena que me queda es
la de no haber aprovechado
la oportunidad de haberlas fotografiado.
¡Porque una foto de los fantasmas
me habría hecho famosa en todo
el mundo!

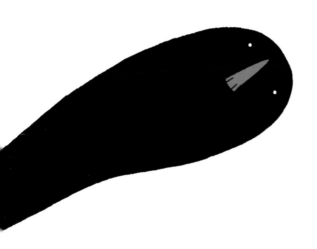